DESCULPA, Deus, ainda não sei rezar

Pe. Zezinho, SCJ

DESCULPA, Deus, ainda não sei rezar

DIRETOR EDITORIAL:
Pe. Marcelo C. Araújo, C.Ss.R.

REVISÃO:
Leila C. Dinis Fernandes

COORDENAÇÃO EDITORIAL:
Ana Lúcia de Castro Leite

DIAGRAMAÇÃO:
Marcelo Tsutomu Inomata

COPIDESQUE:
Luana Galvão

CAPA:
Tiago Mariano da Conceição

ISBN 85-7200-868-3

1ª edição:1985
26ª impressão

Todos os direitos reservados à **EDITORA SANTUÁRIO** – 2022

Rua Pe. Claro Monteiro, 342 – 12570-000 – Aparecida-SP
Tel.: 12 3104-2000 – Televendas: 0800 - 0 16 00 04
www.editorasantuario.com.br
vendas@editorasantuario.com.br

I. Acho que não sei rezar

Mt 6,7: *Para rezar, não multipliqueis as palavras...*

Acabo de descobrir uma verdade que machuca.
– Eu pensei que sabia, mas infelizmente constato que realmente eu não sei rezar.

É isso, Deus! Eu não sei me colocar em diálogo contigo! Para começo de conversa, nem sei como te tratar. Não saberia ao certo se é respeito ou desrespeito chamar-te por tu, vós, você. Aí então misturo tudo e acabo não dizendo nada.

Mas este não seria o problema. O verdadeiro problema sou eu, que poucas vezes dialogo!
Peço muito e não tenho assunto. E, quando tenho, é para falar do que preciso e não de quem sou, diante do ser que és.
O que eu queria era sentir-me filho. E sempre!

E agir sempre como filho afetuoso diante do pai!
Não quero e não desejo repetir fórmulas que não expressem o que sinto. E, se repeti-las, quero entendê-las.

É isso aí, Deus! Acho que não sei é rezar. Mas algo me diz que me aceitas assim como sou! E é bem isso que me consola!
Eu quero rezar bem!
Ensina-me a rezar!
Ensina-me a saber conversar contigo!
Amém.

2. O que foi que faltou em minha prece?

Lc 18,13: *O coletor de impostos nem se atrevia a levantar os olhos para o céu.*

Honestamente, Senhor, houve tempos em que não sabia rezar!

Sentia-me tão bem naqueles lugares, encontros e momentos de recolhimento que, por anos, tive a ilusão de me considerar um homem de oração.
Erguia-me orando, fazia yoga orando, tomava banho orando, enxugava-me orando e, durante o dia, não poucas vezes, elevava a ti meu pensamento.
Não era homem de passar horas diante do Santíssimo, mas sabia estar contigo!
Considerava-me, portanto, um homem que rezava bem!

E foi este meu erro.
Rezava, mas não rezava bem!
O que foi que faltou, Senhor?
Faltou-me a simplicidade do publicano que, lá no fundo do templo, pedia misericórdia e não se atribuía mérito algum.

No fundo, satisfeito comigo mesmo, porque achava tempo para estar contigo e porque gostava de fazê-lo, tive um pouco de fariseu arrogante que te agradecia o dom de ser um homem de oração, diferentemente dos demais...

O que eu preciso é aprender a rezar em silêncio e sem vaidade,
em comunidade e sem contracompassos,
em segredo e sem fingida humildade,
em espírito de pobre que, mesmo tendo-te em mãos, conserva as mãos estendidas,
porque nunca se termina de abraçar o infinito!
Eu pensei que sabia rezar! Mas não, Senhor!
Eu ainda não aprendi a conservar os braços abertos para acolher o tempo e a eternidade!

Caí na tentação de pensar que já fazia o suficiente!
Ensina-me a rezar, Senhor!
Ensina-me a fazer espaço dentro de meu eu!

Amém, Senhor!

3. Se for de tua vontade!

Lc 22,42: Pai, seja feita a tua vontade e não a minha!

Eu já declamei milhares de vezes a oração de Jesus.
Milhares de vezes eu disse que é a tua e não a minha vontade que deve ser levada em conta.
Mas é da boca para fora, Deus!

Dentro de mim, eu sinto a rebeldia de quem não se conforma com os fatos e os acontecimentos.

Tua vontade traz momentos de intensa alegria,
mas tem também o peso de muitas cruzes.
É por isso que não sou coerente em meu sim.
Eu não gosto de carregar peso,
nem de ouvir um não como resposta,
mesmo quando este "não" vem de ti.

Desculpa, Deus.
Eu ainda não aprendi a sorrir nos momentos de dor e a manter a serenidade na hora da pressão.
Não consigo admitir que a dor faça parte de teu grande projeto.
Começo a lutar contra e acabo por pedir que me livres do problema e que faças minha vontade.
A minha e não a tua!
Sem me dar conta,
acabo rezando para que venhas em meu auxílio e faças aquilo que eu quero,
do jeito que eu quero
e no prazo por mim determinado!
Para disfarçar minhas exigências, acrescento um tímido "se for da tua vontade",
mas lá dentro, é minha vontade que prevalece!
E eu preciso aprender com Jesus e com Maria!
Eles, quando disseram sim, disseram com a vida.
A minha é ainda uma vontade caprichosa e rebelde.
Ainda não entendi que tens um plano a meu respeito.

Deus do sim: sim e do não: não,
ensina-me a dizer que sim!
E então minha prece terá sentido de eternidade!
Amém.

4. Sou um homem limitado

Rm 7,19: *Nem sempre faço o bem que quero, e sim o mal que não quero...*

Sou um homem limitado, Senhor!
O que quero fazer, nem sempre faço;
o que não quero, acabo fazendo!
O bem que planejo acabo adiando;
e o mal que eu não queria acontece de repente.

Brinco na hora do sério,
alegro-me na hora de chorar
e choro na hora de rir.
Quero e não quero,
e logo depois lamento minha indecisão.

Sonho coisas grandiosas
e me descubro pequeno demais para elas.
Da minha pequenez proclamo:
– Sou independente!

– Posso tudo sozinho!
Depois, como a te pedir desculpas
admito que, sem tua graça,
nem um passo eu daria.

O bem que quero, não faço;
o mal que não quero, acabo fazendo!
Cuida de mim, Senhor!
Eu sou um homem limitado!
Deveras limitado! Assim mesmo,
tenho fome de infinito!
Sacia minha fome!
Sacia minha fome!

5. Sem mania de grandeza!

Lc 9,48: *O menor entre vocês é de fato o maior...*

Sou um ser pequeno com mania de grandeza, Pai.

Admito-me pequeno e limitado,
mas: um leve descuido moral,
lá estou eu brincando de Deus;
analisando,
criticando,
julgando,
punindo
e assumindo ares de superioridade
sobre meus irmãos e meus amigos!

Sou pequeno, mas teimosamente vaidoso!
Sei que diante do infinito não sou nada,
mas, ajo, às vezes, como se soubesse
tudo acerca dos mistérios.

É essa mania de grandeza que me
leva ao pecado de julgar, criticar,
condenar e me arvorar em juiz dos outros.

Refreia minha mente!
Refreia minha língua, Pai!
Quem sabe, fazendo silêncio,
eu aprenda a ser normal,
pequeno como todo ser humano
e, sobretudo, sem mania de grandeza!

Amém.

6. Dá-me nova dimensão, Senhor

Lc 1,49: O Todo-Poderoso fez grandes coisas por mim!

Pequeno demais, Senhor!
É o que me dói lá dentro.
Ser pequeno demais em todas as dimensões:
socialmente,
fisicamente,
espiritualmente,
psicologicamente.

Não falo da estatura, meu Pai.
Falo da limitação que sinto!
Uma simples gripe malcurada,
um simples alfinete no pé
me leva à imobilidade de um leito.

Pequenas coisas mexem com minhas dimensões.
Coisas insignificantes me tiram do natural.
Coisas grandiosas me assustam.

Diante do infinito que me espera,
sinto-me um verme aos pés da montanha
intransponível.
Não obstante, preciso transpô-la,
porque a isso fui chamado!

Pequeno demais!
Pequeno e limitado!
É o que me dói lá por dentro!
Mas Tu és grande! E me amas!
E me ajudarás, se eu deixar que me ajudes.

Amém, Pai!
Ajuda minha pequenez!

7. Fiquei chateado com meu Senhor

Pr 16,9: *O coração humano traça o caminho, mas Javé é quem lhe guia os passos.*

De meu quarto aqui em Neustadt,
onde me recupero de uma violenta gripe,
posso ver as nuvens que passam lentas e preguiçosas.

Penso em ti, meu Deus.
Tens uma razão para tudo
e, embora uma gripe não seja uma grande cruz,
procuro entender o porquê dessa mudança de planos a que tive de me submeter.
Comecei a me incomodar com a febre que não baixava,
depois com o estômago que não assimilava,

com o médico que receitou dose tão forte que me intoxicou,
comigo mesmo que tinha pressa de voltar a meu trabalho...
Quando dei por mim, já estava de mal contigo.

Era como se tivesses culpa de permitir a mim
o mesmo que sucede a milhões de homens,
mulheres e crianças pelo menos duas vezes ao ano.
Percebi o ridículo da situação!
Irritar-me, por quê?
Por que o sereno que não faz mal aos outros fez a mim?
Por que meu corpo estava mais cansado que o deles?
Por que sou uma espécie de super-homem que não pode nem deve apanhar uma simples gripe?

Viajo hoje à noite.
Chego tarde e atrasado para meus compromissos.
Mas chego de bem contigo,
sereno, composto e
rindo de mim mesmo.

Sou como aquelas nuvens!
Caprichosamente, deixo-me levar pelo vento das circunstâncias e fecho o céu em cima de mim.
Mas o céu continua lá...
Quem deve ceder sou eu!
E eu cedo! E me encontro!

8. Senhor, abençoa meus críticos

Sl 25,19: São *numerosos meus inimigos. E me odeiam com ódio violento!*

Eu tive raiva quando me criticaram.

E foi tanta e tão forte que os chamei daquele nome que, segundo teu filho, basta para condenar uma pessoa ao fogo da Geena (Mt 5,22).

Fui criticado, Deus.

Falaram mal de minha pessoa e de meu trabalho.

Não viram nada de bom no que eu faço e fiz, e, quando não puderam negar o bem que aparentemente faço, arranjaram uns adjetivos para me desqualificar como pessoa.

Julgaram meu trabalho,
   julgaram minhas intenções,
   julgaram meu íntimo,
   julgaram meus objetivos,
   julgaram tudo e não deixaram nada em pé do que ergui com a dor, as insônias e as renúncias de tantos anos.

Quando eu soube, não disse nada.

Mas, à medida que sabia que quem o fez era gente que nunca me viu, ou que viu de passagem, a raiva foi aumentando.

Que direito possuíam de fazer aquilo?

Por quê?

Com que intenção destroem um trabalho só porque não recito os mesmos vocábulos de libertação que eles ou não rezo com as mesmas palavras? Será que não perceberam que eu penso como eles e até faço mais que eles?

Aí a vaidade tomou conta de mim e me perdi na raiva, nivelando por baixo.

Desculpa, Deus.

Eu não aprendi que a crítica faz parte da cruz de quem anuncia teu evangelho. E não me lembrei de que as críticas mais inconsistentes, mais cruéis e ferinas, que as mais destruidoras partem daqueles que foram chamados a fazer o mesmo e por alguma razão não o conseguem.

Quando dei por mim, estava julgando quem me julgou.

Desculpa, Deus!

Eu critiquei imaturamente meus críticos.

E não é com um erro que se conserta outro erro.

Para o futuro ficarei calado,
mesmo porque, se o que faço por Ti não fala por si mesmo, deve ser por falta de coerência minha.

Senhor, abençoa meus críticos, não importa o que tenham dito ou feito para diminuir a força de minha profecia.

Eles também são profetas. Muitas vezes mais sinceros e coerentes que eu!

Que eu aprenda com eles, ainda que ferido por causa deles. Amém!

9. Ensina-me a rezar de novo

Sl 71,20: *Tu me expuseste a muitas desgraças...*
Mas virás de novo e me trarás vida nova...

Eu já tive muito mais ternura dentro de mim, Deus. E creio que te amei com mais fidelidade que agora.

Tu me conheces melhor do que eu.

Sabes então o que me afastou daquela inocência de quem te amava sem reservas e nunca fugia de ti.

Mas agora eu me vejo carregado de tantos projetos, trabalhos e ideais, tanta coisa por fazer, tantos horários, encontros e compromissos, que me sinto pesado, espiritualmente lento.

Não tenho mais a leveza daqueles que se extasiam
   em silêncio, pensando, simplesmente pensando
   em tua misericórdia sempre viva,
   sempre atuante, sempre amiga e paterna.

Sei que preciso de ti, meu Deus.
Mas ajo como se não precisasse.

Passo dias e dias sem falar contigo,
   sempre ocupado,
   sempre cheio de projetos,
   como quem foge de alguma coisa.

Eu acho que é medo!
Tenho medo de precisar mudar de vida!
Por isso invento mil compromissos.
E o que eu mais preciso é rezar, Senhor.
Neste mundo, nesta era, nesta hora,
ensina-me a rezar de novo!
Se eu não rezar, simplesmente não sobreviverei!

10. Meu pecado predileto...

Sl 51,3: *Eu conheço meu pecado. Minha culpa está constantemente diante de meus olhos!*

Dentro de mim há muitos pecados.
Mas um deles é o que mais me dói e mais me mortifica.
É minha marca registrada de pecador.

E cada pecador tem seu pecado predileto.
Para alguns é o sexo, a luxúria;
para outros a ira, a soberba, a avareza;
para outros a inveja, a gula, a preguiça, a mentira.

O meu é como calo de estimação.
Dói, mas não tenho coragem de arrancá-lo.
E, quando penso que estou livre,
lá vem ele de novo;
meu pecado preferido;

minha queda predileta;
meu calo de estimação,
a me dizer que é ele quem comanda e quem governa.

Eu não creio que tu condenes um homem por um só pecado ou por apenas um ato de egoísmo.
Mas posso crer que faças justiça com aquele que se acostumou com a repetição do mesmo ato, a ponto de endurecer a consciência e habitar em seu pecado predileto.

Eu tenho medo, Senhor!
Medo de me acostumar com meu pecado predileto!
Não gosto dele, mas já não sei se não me acostumei.
Tenho medo de que ele se torne mais forte que eu.

Sozinho, não me libertarei.
Concede-me, pois, tua graça;
tão especial quanto meu pecado;
mais especial do que meu pecado...
Amém.

II. Ensina-me a rezar primeiro...

Mc 8,6: Tomou os sete pães, deu graças, partiu--os e os entregou aos discípulos para que dessem ao povo!

Olhaste a multidão faminta e exclamaste:
– Tenho pena deste povo. Há três dias que não come!
Alguém sugeriu a saída mais fácil: mandá-los para casa, mesmo porque era humanamente impossível encontrar ali perto alimento para tanta gente. E, se houvesse o alimento, faltava o dinheiro.

Bastou um pouco de pães e peixes e uma prece.

Não distribuíste mecanicamente.
Não calculaste pedacinho por pedacinho.
Não te limitaste às projeções econômicas.

Nem fizeste sociologia barata ou ideologia de demagogo: – Dou o pão, mas a condição é aderir a meu grupo!

Oraste, bendisseste o pão e mandaste dá-lo ao povo sem cobrar nada, nem mesmo ideologicamente.
Terá sido verdade ou não?
Houve ou não houve o tal milagre?
Aí entram as perguntas e as interpretações justas ou precipitadas dos estudiosos.
Aí entram também a fé daqueles que acreditam que a oração e o amor ainda podem produzir o milagre do pão para todos.
Eu, de minha parte, creio que podias obrar milagres como este de cunho social.
Só lamento não ter aprendido o suficiente!

Esmolas eu já dei muitas.
Mas não rezei nem antes, nem depois...
Ensina-me, Senhor Jesus, que a justiça e a caridade têm mais sentido quando primeiro se reza!
O resto é desvio. Não leva ao próximo e não leva a ti!
E talvez não seja nem mesmo um ato de amor!
Que eu reparta rezando!
Repartirei melhor!
Amém!

12. Fiquei furioso, Senhor!

Sl 109,5: *Eles me pagam o bem com o mal e respondem a minha amizade com ódio...*

Dessa vez, como custei a perdoar!
Teu filho disse "sete, setenta vezes..."
E quando o problema não nos diz respeito, parece incrivelmente fácil perdoar e esquecer, como Ele o fez.
Eu mesmo já preguei longos e entusiásticos sermões sobre a grandeza de quem perdoa!

Mas quando o golpe é violento,
e é a nós que ele atinge,
a dor nem permite raciocínio.
Esqueci tudo o que já ensinei a outros sobre a beleza de perdoar e esgotei meu arsenal de injúrias e invectivas.
Tive raiva, Deus!
Tive tanta raiva que, se pudesse,
esmurraria, arrancaria, um por um,

os dentes daquela boca que me caluniou,
para que aquele que me tentou destruir
sentisse, também ele, os efeitos de sua maldade cruel e venenosa!

Eu não fiz o que ele disse que eu fiz!
Fui caluniado e doeu,
porque não tenho feito outra coisa que tentar ajudar os outros.
E este é um dos irmãos a quem tenho socorrido não poucas vezes!
De repente um golpe baixo daqueles...
Por quê?

Minha pressão caiu,
o pulso foi a 140 e desceu a 60,
os dentes rangiam,
não comi por três dias,
e dentro de mim esperava apenas o momento do confronto.
Planejava o que diria e o que faria quando encontrasse o desgraçado que me caluniou e se mostrou tão ingrato comigo.

Mas tu me deste tempo.
Eu estava me intoxicando de ódio,
bebendo meu próprio veneno,
fazendo mal a mim mesmo,
quando não tinha porque me autodestruir.

Quem não deve não teme!
Pensei,
repensei,
respirei fundo
e vim aqui pedir desculpas.

Eu não devia ter alimentado minha raiva, Pai!
São águas passadas:
não me vingarei!
Não pagarei o mal com o mal!
Em tuas mãos eu ponho meu bom nome.
A teu modo saberás cuidar de mim.

Por teu Filho Jesus Cristo saberás suavizar minha dor.
Quanto ao irmão que tentou me destruir,
já o perdoei. Não direi nada. Nada farei.
Apenas te peço em nome de Jesus Cristo que não o deixes ferir a mais ninguém.
Cuida dele, Deus.
No momento é ele e não eu quem mais precisa de tua graça.
Eu já perdoei.
Amém e aleluia!

13. Conduze-me ao pluralismo!

Mt 19,19: *Amarás a teu próximo como a ti mesmo...*

1

Era isso, Deus.
O tempo todo eu estava apenas pensando em mim.
Penso sempre em mim.
Penso demais em mim.
O mundo gira a meu e não a teu redor.
Pensei em mim, quando disse aquela mentira.

Pensei em mim, quando contei aquela bravata;
pensei em mim, quando fingi humildade;
pensei em mim, quando diminuí o valor do
 companheiro;
pensei em mim, quando falei dos defeitos dos
 outros;

pensei em mim, quando tive inveja do sucesso do outro;
pensei em mim, naquele relacionamento humano e familiar;
pensei em mim, naquela postura moralista;
pensei em mim, na crítica ao governo e aos políticos;
pensei em mim, na crítica às autoridades da Igreja;
pensei em mim, na hora da raiva;
pensei em mim, na hora da vingança;
pensei em mim, na hora do mau humor;
pensei em mim o tempo todo.

Eu não soube pensar nos outros e não sei pensar nos outros.
E muitas vezes, quando estou ajudando e fazendo alguma coisa pelos outros, descubro que nem sempre é por eles: muitas vezes é porque quero alguma coisa diferente para me realizar...

Dá-me, ó Deus, um coração puro e honesto a ponto de realmente pensar nos outros.
Que eu saiba a diferença entre querer a justiça e querer que "meus métodos, minha ideologia e minhas ideias" triunfem.

2

Se eu não souber conviver com quem pensa e age diversamente de mim, não passarei de um egoísta.
E egoístas são todos aqueles que não admitem outras ideias.
Às vezes, eu sou exatamente assim.
Foi o que me aconteceu ontem quando me magoei por saber do que um colega dissera a respeito de meu trabalho.
Fiquei zangado e chateado.
Pensei comigo:
– Faço a coisa com tanto amor em sete anos e ele destrói meu trabalho em uma frase de 20 segundos.

Eu estava pensando em mim e em meus méritos.
Veladamente o que quis dizer foi isto:
– Eu sou melhor do que ele, porque fiz alguma coisa e ele é pior do que eu, porque, não sabendo fazer, me critica.

Se eu tivesse ficado quieto teria sido mais cristão.
Mas, ao reagir como reagi, eu me nivelei por baixo.

Senhor, eu quero ser cristão.
Quero saber defender teu caminho e não minha obra, porque há uma enorme diferença...
Quero saber brigar pela Igreja e pelo que nela é bom, e não pelo que eu fiz e acho que foi o melhor para a Igreja.
Quero ter a humildade de continuar trabalhando calado e assíduo, mesmo quando alguém tentar destruir o que fiz.

Mas que eu aprenda a perdoar!
O revide, no fundo, é orgulho ferido.

Ensina-me a não pensar em mim quando defender o que julgo ser um valor na Igreja.
Que eu não caia na ingenuidade de me autoelogiar ao me autodefender!
Amém e assim seja!

14. Apontei meu dedo sujo contra meu irmão

Mt 5,46: *Se amais somente os que vos amam, que recompensa tereis?*

Que vergonha, Deus!
Sem necessidade alguma, apontei o defeito de meu irmão no meio de um grupo que pouco o conhecia. Falei dele como se eu também não tivesse defeitos; talvez piores...
Com a maior sem-cerimônia,
maldosamente contei dois fatos a quem não tinha o direito de ouvi-los.

Assim o grupo ficou sabendo que a pessoa de quem falei tem esta ou aquela tendência e faz isto ou aquilo de errado.

O que ganhei com isso?
O que me levou a essa crueldade?

Pisei no bom nome de um irmão que, se tem fraquezas, terá que ajustar as contas contigo e não comigo.
Fui maldoso, Deus!
Fui cruel!
E o pior é que, quando alguém me difama, fico ferido.
Eu o difamei e tive o descaramento de dormir como se nada houvesse feito de mal.
Matei, um pouco, meu irmão com aquelas revelações inúteis.
Hoje estou sujo, Deus! Muito sujo! Falei mal de uma pessoa ausente!
Desculpa de novo, Pai! Eu realmente não sei amar como Jesus amou. Sujei minha boca
falando mal de meu irmão.
Em tua misericórdia, cuida dele e cala esta minha boca suja.
Amém!

15. Eu disse que não tinha troco...

Tg 2,6: *Vós desprezastes o pobre, quando quem vos oprime são os ricos...*

O mendigo me pediu dinheiro e eu disse que não tinha troco.
O menino me pediu dinheiro e eu disse que não tinha troco.
O lavador de para-brisas limpou o meu, sem que eu pedisse. E eu disse que não tinha troco.
O guardador de carros guardou o meu que não precisava de guarda. E eu disse que não tinha troco.

***

Agora estou pensando nos trocos que de fato não tinha e nos que tinha, mas não dei.

***

E, se na hora de eu pedir tuas migalhas,
   tu me disseres que não tens troco?
Eu que vivo de pequenos favores, mendigo ante o
   troco da graça, morreria à míngua!

***

Deus das grandes e pequenas graças,
concede-me a graça de nunca negar pequenos
   favores.
Custam pouco para mim e ajudam meus irmãos
   menores.
Talvez o Reino dos Céus seja isto:
   SABER REPARTIR O NOSSO MUITO EM
   PEQUENAS PARCELAS, PARA QUE NUNCA
   FALTE O POUCO AO IRMÃO QUE PEDE
   POUCO!
Não nos medirás pelos trocados da vida, mas pela
   falta de partilha.
No fim, custará mais caro o copo-d'água negado ao
   irmão que o grande templo que erguemos
   em tua honra...
Que eu nunca me esqueça disso, Pai, eu que disse
   que não tinha troco!

16. Educa-me para a paz

Jo 14,27: *Deixo-vos a paz; dou-vos minha paz, mas do jeito que o mundo vo-la dá!*

Eu pensei que era um pacifista, Pai.
Pensei que sabia perdoar e esquecer as ofensas.
Pensei que sabia lutar pela paz e pela conciliação.
Pensei que, de tanto falar em paz, eu era um
 homem de paz.
Mas ontem deixei escapar uma crítica a um
 irmão ausente.
E percebi o quanto falta para eu ter um coração
pacifista.
Declarei guerra unilateral a um irmão que nem
 sabia que penso de maneira negativa a
 seu respeito.

Chego a ti de bandeira branca, porque comecei
   uma guerra que certamente vou perder,
   posto que a longo prazo o inocente
   ou oprimido é mais forte do que o culpado e
   opressor.
E eu oprimi meu irmão a partir do momento em
   que critiquei seu modo de viver e de trabalhar,
   sem razão nenhuma.

Não, Deus, eu não sou um pacifista!
Se o fosse, daria a outros o direito de pensar
   e agir de maneira diversa da minha!
Quando me arvorei em juiz, mostrei que não
   vivo em paz com as ideias e o jeito dele.
E, enquanto não for constituído juiz, este direito
   não me cabe.
Agredi covardemente meu irmão pelas costas,
   quando disse que duvidava de sua sinceridade.

Desculpa, Deus!
Da próxima vez que eu pregar sobre a paz,
   procurarei lembrar desse atentado. Falei
   mal de meu irmão e não lhe dei a chance de se
   defender. Matei-o por alguns minutos...
Desculpa, Deus. Desculpa meu gesto de Caim!

17. Eu ontem matei uma formiga

Dt 30,15-19: Escolhe a vida, para que tu vivas, tu e tua descendência...

Não estou com drama de consciência, Deus.
Estou apenas sentindo o quanto sou mesquinho.
Afinal, o que é uma formiga?
Passei, vi que ela corria no passeio e a esmaguei.
Depois fui embora como se tivesse feito uma boa ação.
Formigas, afinal, prejudicam.
Cortam flores e plantas, minam alicerces de casas e prejudicam nossas hortas.
Assim, meu ato ajudou o ser humano.
Para que existamos é preciso destruir as formigas.
Não é lógico, Deus?

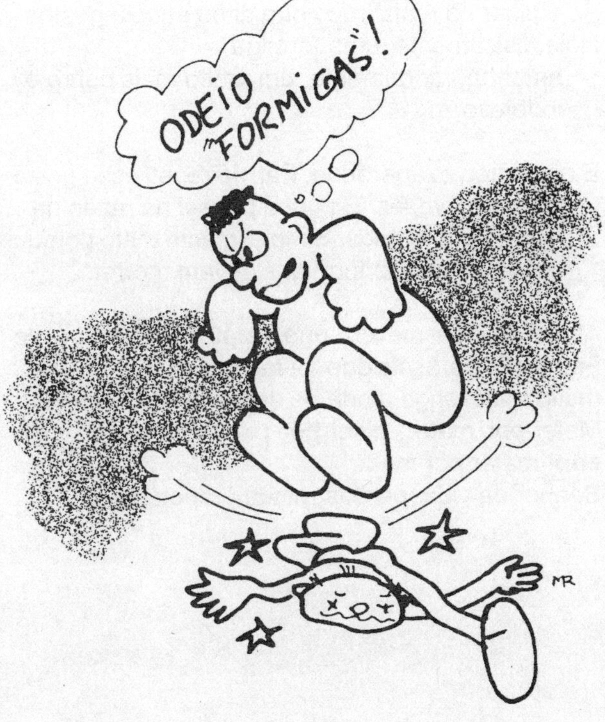
ODEIO "FORMIGAS"!
MR

Agora estou me perguntando se fiz aquilo com
 essa intenção ou se é meu instinto de esmagar
 e pisar no mais fraco que ditou aquele gesto.
Hoje, fisicamente, uma formiga,
 amanhã, moralmente, um irmão mais pobre e
 indefeso...

E não estou exagerando, Pai. Já repeti esse gesto
 inúmeras vezes. E nunca pensei na razão de
 matar uma formiga. Simplesmente mato porque
 sou mais forte e formigas devem morrer...

Alguma coisa me diz que estou muito longe de
Francisco de Assis que foi teu servo. E
muito mais longe ainda de Jesus que é teu Filho.
Matei por matar; pisei por pisar. E este foi meu
erro: matar por matar!
Senhor da vida, perdoa minha prepotência!

*quero ver
a tua face*

18. A falta que tu me fazes!

Êx 33,20: *Não podes ver minha face.*
Ninguém pode ver-me e continuar vivo!

Deus meu!
Há dias em que não existes!
Sei que é engano meu, mas é exatamente o que sinto.
É como se uma nuvem escura tapasse o sol e meu dia se transformasse em penumbra.
Além das nuvens há luz, mas em mim não vejo nada.

Desarvorado, procuro por alguma réstia de luz,
como quem procura um pouco de ar respirável;
sinto o peso do mundo e de meu pecado;
aflito e oprimido, grito por ti,
e não vejo, não escuto, não sinto nada
senão o eco de meu grito.

Nesses dias entendo um pouco o drama dos ateus.
Não crer nem mesmo que seja possível!
Que falta de perspectiva! Que limite!

Depois acontecem os dias mais claros,
e vejo, sinto e respiro aliviado!
Nesse jogo de esconde-esconde,
quem perde sou eu.
Tu és o Deus de face oculta (Êx 33,20).
Eu não tenho onde me esconder de ti (Jó 13,20;
Sl 139,12).
Tu me achas a todo instante.
Eu te acho e te perco, eu te acho e te perco, eu te acho e te perco.
Mas nesse achar e perder de vista,
cada dia chego mais perto,
cada dia descubro um pouco mais,
a cada dia mais me aprofundo em teu infinito.

Deus de face oculta!
Obrigado pelos dias em que pareces não existir.
Se não fossem eles, eu não faria o esforço que faço para te compreender e te encontrar!

A falta que me fazes prova que tu existes!... Amém.

19. Mistério!

Sl 91,2: *Meu abrigo e minha fortaleza. Meu Deus, em ti confio!*

Não te vejo,
não te toco,
não te sinto.
Não te escuto a me falar.
Não conheço teu semblante ou tua imagem,
nem te posso imaginar.
Não percebo nem vislumbro a dimensão
do infinito onde estás.

Não sei onde habitas,
não sei onde moras,
não sei te descrever.

Não sei falar bonito
quando és tão infinito
e eu tão incapaz de entender.

Infinito,
onipotente,
onipresente,
criador e provedor,
pai bondoso, justo amigo, Deus clemente,
Deus da luz e Deus do amor.
Não te entendo nem vislumbro a dimensão do
infinito que tu és.
Não sei onde estamos,
não sei aonde vamos:
só sei que estás no céu!
Não sei imaginar-te
em minha pobre arte.
Só sei que és nossa luz,
só sei que és nosso Deus!

Além disso, nada sei!
Mas talvez seja o suficiente
para viver e morrer de
amor!
Amém.

20. Como te chamas, Senhor?

Lv 18,21: *Não profanarás o nome de teu Deus. Eu sou Javé!*

Não sei que nome devo dar-te:
– "Aquele que é".
– "O Todo-Poderoso."
– "Pai."
– "Eloim, Adonai, Javé..."

Gostaria de tratar-te por tu, você, vós, mas não é fácil expressar-me quando estou contigo.
A linguagem humana não diz o que sinto.
Os pronomes nunca se ajustam!
Estás acima e além de todos os pronomes e adjetivos.

Como devo chamar-te, Pai?

Quando conversar contigo que pronome devo usar?
Que verbos e que adjetivos?

Senhor, Deus meu!
Eu não sei falar contigo,
mas eu te amo do meu jeito pequeno e confuso!
Se és grande como te imagino,
então o modo como falo não tem
importância.
Importante é o que te falo!
E eu, Senhor!
Eu te digo que eu te amo! Muito!

21. Meu túnel tem saída...

1Ts 5,5: *Não somos da noite nem das trevas. Somos todos filhos da luz, filhos do dia.*

Dentro de mim esta paz que não mereço e que tão pouco explicar consigo.
Dentro de mim a tranquilidade e a calma das tardes quietas do sertão.
Lá fora a agitação da cidade grande,
os atropelamentos,
as brigas por causa do tráfego,
os planos de vingança,
o ódio,
o povo nos ônibus como em latas de sardinha,
as enormes filas que duram eternidade para se esvaziar,
os pais que, por falta de condução,
permanecem horas e horas longe de casa e,
depois, acabam por se acomodar.

Aqui dentro, uma paz que não fiz por merecer, porque não tenho os problemas desses pais e dessas mães.
Aqui dentro, o ministro de Deus gozando da paz de quem não sofre do mesmo jeito.
Mas do meu jeito tenho sofrido os empurrões,
as críticas,
as agressões,
as grandes e pequenas perseguições,
o desespero de quem não aceita a palavra que liberta.
Do meu jeito, também ando enlatado,
alienado,
curtido,
esmagado e em becos sem saídas...
Sem saída não: eu creio em ti, Jesus!

22. Eu gostaria
de não te dizer nada

Sl 18,1: *Para mim Javé é o libertador, a Rocha, a Fortaleza!*

Palavra como eu gostaria, Deus.
Contemplar-te no silêncio, esquecer as palavras
   e mergulhar de cheio em teu infinito.
Mas não é o que acontece!
Começo a fazer silêncio e de repente me vejo
   falando, tentando pedir, explicar, justificar-me.
Deve ser porque sou tão limitado,
   e quem é limitado precisa de complementos.

Mas o que eu queria mesmo era ter suficiente
   fé para nada dizer. Olhar-te de lá debaixo
   de minha insignificância e abismado com o
   inexplicável, pular, rir como criança, chorar

como alguém que encontrou o que buscava
há séculos.

Ensina-me a contemplar, Senhor,
porque eu contemplo muito pouco!
Não permitas que as palavras atrapalhem meu
amor e minha busca!
Deixa eu te olhar sem ver nada,
ouvir sem escutar som algum,
tocar-te sem sentir absolutamente coisa alguma.
E então, Pai, sem o limite dos sentidos,
ensina-me a mergulhar na luz que tu és.

Eu não sei se suportaria tal graça,
e, mais do que isso, sei que estou muito longe
dela, mas é a graça que hoje te peço!
Ensina-me a contemplar! Simplesmente contemplar!

23. Por que e como!

Mt 7,21: *Nem todos os que me chamam de Senhor entrarão no Reino dos céus; mas sim os que fazem a vontade de meu Pai.*

Não foi por ter lido a teu respeito,
por ter ouvido a teu respeito,
por ter falado a teu respeito,
por ter sofrido por ti,
lutado por ti,
chorado por ti,
por viver angustiado,
questionando,
querendo saber a resposta a teu respeito que eu comecei a me chamar de cristão.
Foi por haver descoberto que era isto que tu propunhas a teus discípulos...

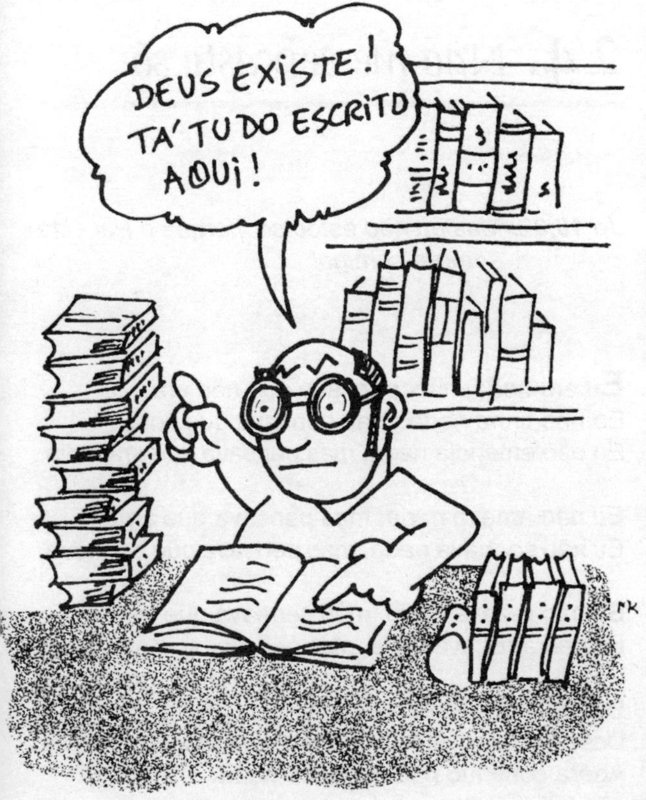
DEUS EXISTE!
TA' TUDO ESCRITO
AQUI!

24. Não me deixaste só

Jo 16,32: *Mas eu não estou só, porque o Pai está sempre comigo!*

Eu era nada, mas pensava que não era.
Eu não tinha nada, mas pensava que tinha.
Eu não entendia nada, mas pensava que entendia.

Eu não amava nada, mas pensava que amava.
Eu não sonhava nada, mas pensava que sonhava.

Eu não rezava nada, mas pensava que rezava.
Eu não arriscava nada, mas pensava que arriscava.

De repente aconteceu!
Descobri que o infinito queria a participação do nada.
Agora continuo não sabendo nada,
não tendo nada,

não entendendo nada,
amando nada,
sonhando nada,
rezando nada,
arriscando nada,
mas, em comparação do nada que eu não percebia,
eu hoje percebo alguma coisa:
quando sou, tenho, entendo, amo, sonho, rezo
e arrisco alguma coisa,
já não estou sozinho.
Tu estás comigo!
E então eu me sinto alguém.
E te agradeço isso!
Amém!

25. Limitação

Mt 6,13: E não nos deixeis cair em tentação, mas livrai-nos do Maligno.

Eles faziam silêncio total naquela igreja, enquanto bebiam uma por uma minhas palavras.

E eu falava de ti
e de tuas tentações lá no deserto.
Mostrava a eles a diferença entre a realidade e a alegoria.

Mostrava-lhes que, para alguém divino, ser tentado é o mesmo que não ser tentado, pois que a tentação só acontece diante da possibilidade do pecar, coisa que em ti não era possível.
Dizia-lhes que o evangelista quis dizer apenas que, diante da possibilidade do pecado, jamais sentiste inclinação alguma negativa.

Em ti a tentação vinha de fora e não tinha por onde penetrar.
Em nós ela vem de dentro e precisa ser expulsa.
De repente, naquele silêncio todo, percebi o quanto é importante para o povo saber por que se é tentado e por que se peca.
E entendi minha responsabilidade: eu sou aquele que deve semear a certeza de que é possível vivermos em graça e sermos mais fortes do que nossas inclinações negativas.
Eu sou aquele que deve lembrar que é difícil, mas é possível ser santo.
Acontece que eu mesmo não consigo!

26. Ignorância

Fl 2,12: *Trabalhai por vossa salvação com temor e tremor...*

Sabe, Senhor,
eu, absolutamente, não tenho medo do inferno,
nem do purgatório, se este por acaso for o que dizem ser,
nem tampouco tenho preocupação de saber se vou ou não vou para teu céu.

É isso o que tenho dito e afirmado a meus amigos.

Mas não sei se mereço outra coisa que um gesto de dó e de piedade.

No fundo, no fundo,
se ainda continuo com tais convicções,
é porque não sei o que seja nem céu,
nem inferno, nem purgatório.

A gente, às vezes, não teme nem deseja certas realidades,
não por conhecê-las, mas sim por nada saber a seu respeito.
Ensina-me a não ter medo sem ser ignorante...

27. Quero estar a tua espera!

Mt 7,7: *Volto meus olhos para Javé, espero no Deus de minha salvação.*

Meditei agora há pouco sobre meu futuro.
Aquele moço de minha idade que morreu duas horas depois de uma injeção errada me fez pensar na morte.
Era relativamente jovem.
Teria trinta ou quarenta anos para viver!
 Talvez mais! E em duas horas estava diante da eternidade.

Quanto tempo viverei?
Quantos anos?
Mais dois? Mais dez? Mais vinte? Mais cinquenta?
 Ou tenho apenas alguns dias?
E como é que os viverei?

Sinceramente, não tenho pensado na morte.
Um pouco, porque gosto da vida, outro pouco, porque ando ocupado em viver, mas um pouco também é medo.

Tenho medo de não estar preparado.
E, por causa desse medo, não me preparo.
Eu devia pensar nisso, porque não há como escapar.

Ao meu redor morrem os jovens, as crianças e gente da minha idade. Alguns de acidente, outros de velhice, outros de enfermidades súbitas, outros, vítimas de violência.
Eu os vejo morrer e fico na ilusão de que a minha vez está longe!
E eu não posso ter tanta certeza! Não posso e não devo!
Quero estar a tua espera, Senhor. Nem que demore cinquenta anos.
Concede-me esta graça.

Viverei melhor sabendo
que posso morrer
a qualquer momento!

28. No poema do universo!

2Cor 4,5: *Nós nos consideramos servidores por causa de Jesus.*

Sim, eu creio que tu existes.
E também creio que és pai e criador.
E creio que tens um filho.

Enquanto eu não acreditava o suficiente,
eu pedia diretamente
e em meu próprio nome.
Parecia lógico que me concedesses o pedido feito,
simplesmente porque és meu pai e eu sou teu filho.

Mas, quando comecei a crer de fato em Jesus
Cristo, precisei mudar minha oração.
Se te chamo pai,
se te peço alguma ajuda,
se te louvo nas assembleias,

é porque existe Jesus Cristo,
teu filho,
teu legítimo e único filho,
graças a quem eu posso hoje te chamar de pai.

No poema do universo,
Jesus Cristo foi o verso que nos rimou contigo.
E só Ele está tão perto de ti
a ponto de conversar de igual para igual.

Não te pedirei mais nada em meu nome.
Não te louvarei em meu nome.
Fá-lo-ei em nome de Jesus!
Se existes e se és pai,
e se Jesus é de fato quem é,
então minha prece chegará a teus ouvidos!
E serei atendido por causa de Jesus Cristo!

29. Feliz, porém, insastisfeito...

Sl 90,12: *Faze-nos criar juízo para contar nossos dias e chegarmos de coração à sabedoria.*

Minha mãe concebeu-me pecador.
E eu nasci um pequeno egoísta
que precisou aprender a partilhar a própria existência.
Tudo girava em torno de mim. E, às vezes, penso que ainda gira!
É minha realidade, Pai.
Eu nunca deixei de ser egoísta.
Poucos de teus filhos conseguem esta conversão.
Nascemos e crescemos dentro do mais crasso individualismo e raramente nos convertemos de verdade para acolher os outros.
E eu também sou assim!

Sou aquele menino que não sabe o que fazer com
a enorme bola de futebol do irmão maior,
mas que chora e que faz manha
até que a consiga para si.
Minutos depois a bola já não é mais importante...
Importante era possuir aquilo que não era dele.

Pensando bem, são assim os indivíduos,
assim os pequenos grupos,
assim as sociedades,
assim os povos.

Raramente partilham.
E quando partilham, é para ganhar algo em troca.
Dificilmente se satisfazem.
Perseguem um objetivo a qualquer custo,
e, uma vez conseguido, parece que não valeu a pena!
Aí começam tudo de novo.
Envelhecem depressa demais...
E a cada dia parecem mais insatisfeitos!
Não. Eu ainda não sei viver para os outros.
Deus, tira de mim esta mania de servir
esperando secretamente uma recompensa!

30. Não deixes que eu me canse!

Lc 18,1: É preciso rezar sempre e nunca desanimar...

Estou ficando cansado, Senhor.
Cansado de ver o riso de escárnio daqueles que podem se dar ao luxo de rir porque ainda têm dentes na boca; não lhes caiu a falta de cálcio e alimentação.

Estou cansado de ver igrejas ricas e suntuosas,
famílias ricas e suntuosas,
vestidos ricos e suntuosos,
banquetes ricos e suntuosos,
monumentos ricos e suntuosos,
bebidas ricas e suntuosas,
palácios ricos e suntuosos,

convenções e ornamentações natalinas,
alegorias de carnaval e luminosos.

O povo está pobre, Senhor.
Os povos estão pobres, Senhor.
Os cães e gatos dos homens ricos estão comendo melhor que os filhos e netos dos homens pobres.
E eu estou ficando cansado de não saber o que fazer para que as coisas mudem!

*

É isso, Senhor. Essas mãos estendidas que incomodam, que acusam, mesmo que seus dedos não estejam em riste contra seus irmãos; essas mãos que pedem, pedem, pedem, e continuam a pedir porque falta trabalho, ou o trabalho que existe não paga nem sacia a fome de oito ou doze; porque falta qualificação e não sabem fazer nada e nem há quem os ensine; e até porque, se aprendessem a fazer alguma coisa, competiriam com a bem montada indústria que não pode admitir competição de espécie alguma; essas mãos nos amaldiçoam!...

*

E as mãos deles, aquelas mãos mirradas e sujas, continuam estendidas. Aqueles olhos grandes de criança sem escola, sem cultura e sem comida, ficam olhando, enquanto, baixinho, baixinho, elas pedem, pedem, pedem e pedem. Pedem o que de direito lhes pertence; o que não precisamos. Aquilo que passou do papel, da máquina, das canetas, dos ternos, dos vestidos, dos relógios, dos sapatos, dos móveis, dos eletrodomésticos e de coisas que realmente precisávamos. Aquilo que passou de necessidade e se tornou capricho e esbanjamento.

*

Não há mais creches porque não ajudamos. Não há mais asilos porque não ajudamos. Não há mais bolsas de estudos porque não damos. Não há mais hospitais baratos porque não os mantemos. Não há mais orfanatos porque não temos dinheiro para essas coisas.

Pagamos impostos!... Que o governo cuide disso! Mas o governo diz que não há verbas, exceto, é claro, para as coisas mais urgentes e facilmente compreensíveis como necessidades de primeira grandeza, tal como... pavimentação, monumento, carnaval, enfeites de natal e outras obras de alcance público...

*

A fantasia do vencedor custou a bagatela de quase o salário de cento e cinquenta cidadãos. O carro esporte do filho do industrial custou o equivalente a 500 vezes o salário de seu chofer particular. E tudo o que o moço precisava era de um carro para ir à escola. O vestido da distinta senhora custou cem vezes mais que o de sua doméstica. Usou-o quatro vezes. Depois precisou adquirir um modelo mais avançado para não ficar demodê.

E disseram-me que é um direito legítimo o de fazerem o que bem quiserem do dinheiro que conquistaram com trabalho duro.
Enquanto isso os pobres pedem, pedem, pedem, pedem e pedem.

Não sei dar todas as respostas, mas sei que esta que aí está nada responde.

Não tem justiça e não tem amor!

* * *

Lá fora na avenida onde eles se plantam, caríssimos e sofisticados vestidos, caríssimos e sofisticados aparelhos de som, caríssimos e sofisticados móveis, eletrodomésticos, cortinas, tapetes, joias, relógios, enfeites, bijuterias, farmácias, farmácias e mais farmácias, que é o que não falta nos grandes e pequenos centros, dizem que o progresso chegou. E gasta-se em remédios, em cosméticos, em sofisticação, em acessórios, em miudezas, em bijuterias, em novidades, todo dinheiro de que

não se precisa, enquanto os pobres continuam de mãos estendidas...
Sei que as leis da economia explicam isso!
Mas sei também que isso não está certo!
Os pobres desafiam a todos nós, e mais especialmente a nós que te chamamos de Pai.

Construímos uma sociedade sem Pai e por isso não sabemos o que é a justiça!

Damos esmolas quando a consciência dói e aperta um pouco mais, ou quando achamos incômodo carregar moedas; ou ainda quando as compras foram feitas e sobraram alguns trocados... Somos cristãos porque damos a sobra... O que era importante foi gasto no que não era importante: nova cortina para mudar de cor, já que as outras não estavam nem tão gastas nem tão velhas; um novo relógio, não que o outro estivesse enguiçado, mas porque cansara; um novo par de sapatos para combinar com a roupa; um novo esmalte, um novo batom, um novo xampu, um novo vestido, um novo rádio, um novo celular, um novo gravador, um novo tipo de uísque, um novo conhaque, um novo sabão em pó, um novo enfeite, uma nova joia... Nada de importante ou necessário. Apenas uma necessidade imperiosa de gastar e consumir e assim manter o dinheiro em circulação.

Não, eu não entendo a civilização de consumo! DECIDIDAMENTE NÃO A ENTENDO! Ela não é cristã! E eu também não sou, porque preciso demais do que outros nem sequer ousam desejar um dia!

Ensina-me a amar os pobres!
Mas primeiro ensina-me a ser pobre!

*

3I. De volta do Nordeste

1Cor 15,19: *Se é somente para esta vida que esperamos em Cristo, somos os mais miseráveis de todos os homens...*

Fiquei a ver os alagados com sua única ração de macaxera,
com sua fome e sua subnutrição,
com seus filhos amontoados numa casinha de três por quatro,
com seus olhos grandes e vagos de não saber mais para onde olhar,
com sua pouca limpeza,
com sua pouca cultura,
com seu desespero de quem não vê saída,
com seu desânimo até para sorrir,
com seu cansaço de viver,
com suas brigas,
com sua vida sem chances,

com sua tácita aceitação de que afinal de contas tem de ser assim;
com sua incapacidade de lutar pelo direito de morar,
pelo direito de se alimentar melhor,
pelo direito de ser pago à altura das oito horas de trabalho que põem no engenho,
pelo direito de falar e se reunir em sindicatos de classes,
pelo direito de ir e vir,
pelo direito de educar os filhos,
pelo direito ao essencial.
Fiquei a vê-los sem condições de higiene,
sem conforto,
sem pão, sem leite, sem carne, sem verduras,
sem frutas, sem roupas, sem casa, sem salário,
sem chance ou ambição alguma.
Fiquei a vê-los passar pela rua esburacada,
sem asfalto, sem luz, sem água e sem esgoto, em meio aos cães e aos porcos, apertados,
amassados, massacrados, anestesiados,
curtidos, cansados, subnutridos,
subalimentados, subdesenvolvidos, enfim,
esfolados vivos.
E não pude conter a tentação de exclamar que a verdade são eles.
O resto é mentira! O resto é mentira, Deus!

32. Miséria em cima de miséria

Sl 116,6: *Javé protege os simples.*
Eu estava nas últimas. Ele me salvou!

O mundo que me foi dado ver a luz do sol, o tempo que me foi dado para viver e buscar meu destino que não sei qual é, a era que me foi dada como herança, tudo, tudo me deixa inquieto...
Sou da geração que pode ver apartamentos e edifícios de luxo, tapetes, cortinas, carros ultrassofisticados e aviões supersônicos, televisão a cores, viagens espaciais, o suprassumo do requinte, monumentos e obras faraônicas, ao mesmo tempo em que dois terços da humanidade, agora mesmo, esta noite ainda, dorme insuficientemente alimentada.

Para cada apartamento, de relativo conforto, pelo qual o homem comum precisará trabalhar 240 meses e 22 anos, o homem, que nem comum consegue ser, tem apenas um sonho mau a espantar.

Para cada uma dessas habitações de relativo conforto, há 20 ou 30 casas infectas, malcheirosas, sem água, sem espaço, sem esgoto e sem as mínimas condições de habitabilidade. E ficamos furiosos quando alguém condena o sistema como injusto, ou quando somos avisados de que alguns de nós temos mais do que precisaríamos; ou ainda quando nos avisam que o que temos a mais pertence aos pobres.

E imaginamos o pior de todos aqueles que, não suportando o espetáculo da miséria, fome, nudez, medo, frio, inércia, dessa gente indefesa, acabam se cansando e apelando para a violência.

A violência do desespero é filha da violência do desprezo.

A violência de quem não tem é quase sempre resposta desesperada à violência de quem não reparte.

A violência de quem quer mudar tudo é um ato de desespero contra os que não percebem que a injustiça chegou ao ponto de bradar aos céus.

Quando um pai de família trabalha trinta dias, dez horas por dia ou mais, para conseguir, de salário, o que o outro, que trabalha cinco horas durante quinze ou vinte dias, esbanja em cosméticos ou cigarro e bebida, tem-se a impressão de que o céu um dia acaba se cansando. O mundo em que eu nasci é muito violento; muito violento!

E é muito violento, porque injusto ao ponto do absurdo!

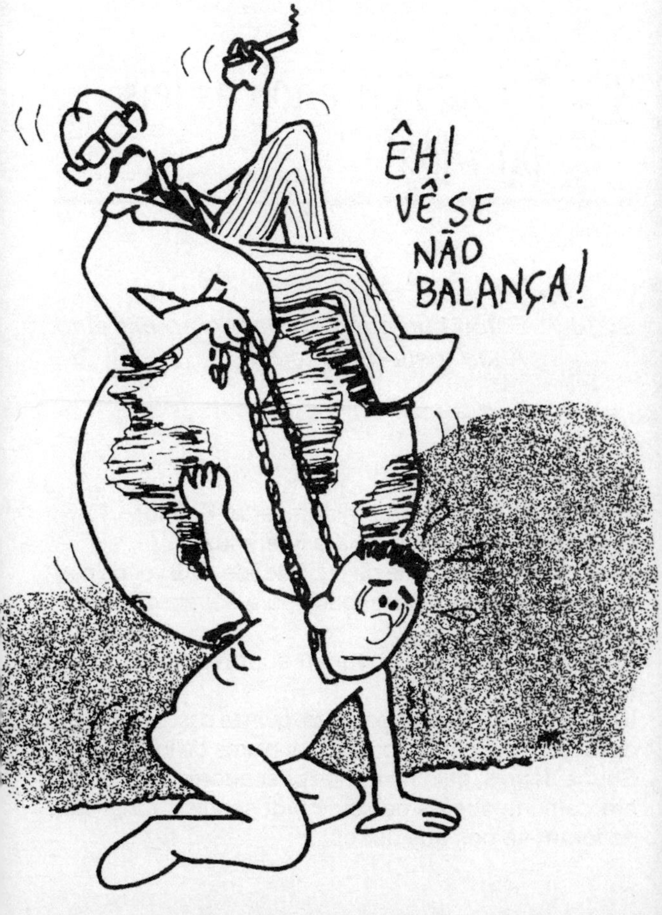
ÊH! VÊ SE NÃO BALANÇA!

33. Eu não entendo as leis da vida!

Sl 38,7: Estou curvado e debatido ao extremo. Ando triste o dia todo...

1

Fui caminhar naquela praia deserta, Senhor.
Eram seis horas da manhã e já era luz.
Tomei tempo, enchi-me de curiosidade e fui ver os pescadores a arrastar sua jangada para a areia da praia.
Não gostei do que vi.
À medida que desenleavam a enorme rede, fui contando...
Um, dois, três, quatro, dez, doze, quinze casos de peixes devorados pelos próprios companheiros de infortúnio.
Soube depois, pelos próprios pescadores, que aquilo era comum; que os peixes, no desespero da prisão, devoram-se uns aos outros.

Eu, que costumava dizer que no reino animal, apenas o homem se destruía, precisei repensar meu esquema de pregação.
Os peixes também se devoram.
As aves também se devoram.
Os lobos também se devoram.
As cobras também se devoram.

Eu não entendo essas leis e não as acho sábias nem naturais.
E gostaria de saber a explicação para esse macabro fenômeno.

Voltei triste e cabisbaixo, pensando no que presenciara.
Dentro de mim apenas uma pergunta:
Por quê? Por quê?
E não recebi resposta!

2

Sl 8,3: Na boca das criancinhas afirmas teu nome contra os ateus.

Dizem que é coisa natural; que desde que o mundo é mundo, o mais forte sempre derrotou o mais fraco, obrigando o fraco a ser mais esperto ou mais submisso para poder sobreviver.

Dizem que, desde que o mundo é mundo, alguns tiveram quase tudo e a maioria quase nunca teve o suficiente.
Dizem que as religiões nasciam da incapacidade de explicar o que não tem explicação alguma. Que o homem que não pode reza e o que pode incentiva a rezar...
Dizem que a justiça social só poderá acontecer quando o homem não se conformar com a sua condição de miséria compulsória.
Dizem que o homem jamais aceitará ser educado para ser, porque está dentro dele a fome inata do ter e do possuir.
Dizem que você, Jesus, foi uma utopia. Que você viveu de maneira irreal e que não poderia exigir que a humanidade vivesse apenas de um sonho; que do pardal Deus cuida e ao lírio Deus veste, mas ao homem Deus não alimenta nem veste, nem nunca vestiu nem alimentou!
Dizem que produzir é a única palavra que tem sentido, e que a fome vem da pouca produção e da incapacidade de planejar ou de armazenar; que quem planeja e armazena é o mais forte e que, ao mais fraco, compete produzir para quem planeja e armazena!
Dizem tudo isso enquanto arrotam seus capitalismos, seus malthusianismos, seus socialismos e seus comunismos como prova de que o homem precisa ser domado à força ou pela política, ou pelo dinheiro, se

se quiser criar um caminho novo de sobrevivência.
E eu me pergunto se não bastariam os princípios de teu Evangelho que muda o homem pela graça e pelo carinho do Pai!
Mas eles ultimamente andam gritando mais alto! Não parecem cansados!
Quanto a mim, a mesma coisa te peço: não permitas que eu me canse!

34

Sl 41,1: *Feliz de quem cuida do fraco e do pobre.*
Javé o libertará no dia da desgraça!

Os pobres! Outra vez os pobres!

Sua desgraça é tamanha que às vezes me pergunto se por acaso cometeram o crime de nascer em lugar errado ou se nasceram em lugar certo, mas ao lado da gente errada!

E, nos momentos de ira,
ante a insensibilidade de todos nós,
eu me pergunto se, pela desgraça deles, os desgraçados não somos nós, que temos
dinheiro para cigarro, bebida, roupas finas e outras necessidades absolutamente desnecessárias.

*
Entre o que esbanja e o que não tem,
é bem difícil saber qual o mais desgraçado!

Um pouco de arroz,
uma sopa de fubá com restos de verduras de feira,
um punhado de farinha,
um pedaço de macaxera,
um pouco de melaço:
é tudo o que eles comem.
No fim do mês um salário mínimo cheio de descontos:
é tudo o que eles ganham.
Na esposa, os dentes todos podres,
nos filhos, barriga-d'água,
neles, os pés inchados, erisipela, verminose, diarreia, tuberculose, difteria e aquela doença não detectada, e mal disso e daquilo, e a teimosia de viver para poder manter a família.
E a comunidade católica está com planos de comprar uma casa de férias para seus jovens...
e para os casais...
e também para os padres!...

35. Tenho medo do anticristo

Sl 5,5: És um Deus que odeias a maldade.
O mau não pode habitar contigo.
O arrogante fraqueja ante o teu olhar.

Tenho medo do anticristo!
Se existe, não sei! Se vai existir, não sei! Se vai ser uma pessoa, não sei!
Sei apenas que a onda de violência, de maldade, de injustiça, de torturas, de crimes
políticos, de desrespeito à pessoa humana,
de abortos, de massacres, de vandalismo e de brutalidade que assola o mundo, fazem pensar que ele já está agindo há muito tempo.
O anticristo talvez já tenha a cabeça no Oriente e os pés no Ocidente, ou vice-versa!

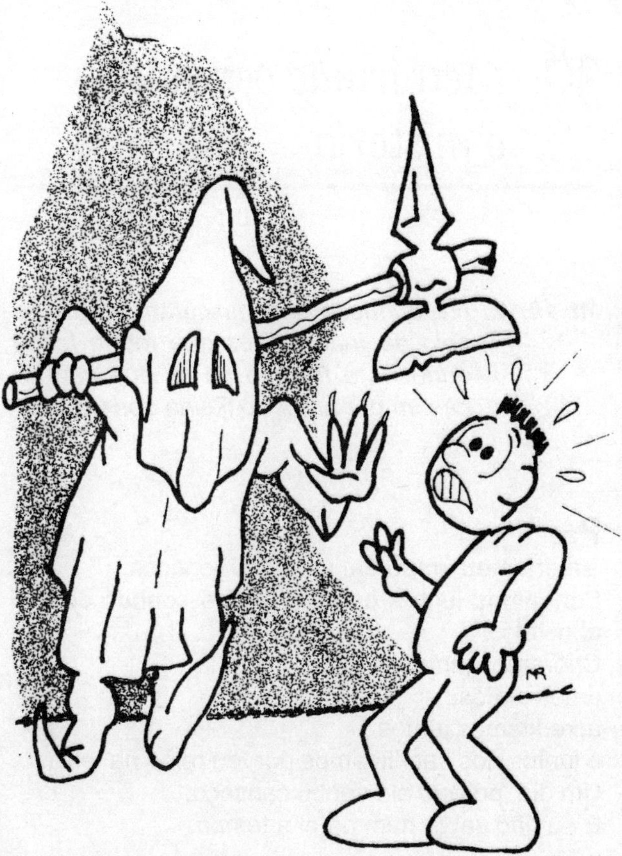

36. Meu irmão deixou o mistério

Mt 19,12: *Há eunucos que nasceram assim no seio da mãe, há os que foram feitos eunucos à força e há os que não se casam por amor ao Reino dos Céus...*

Pai,
ele era meu irmão em todos os sentidos.
Sonhamos juntos os mais lindos sonhos de um apóstolo.
Choramos juntos,
rimos juntos,
acreditamos juntos
e juntos nos sacrificamos por teu reino na terra.
Um dia, porém, ele sentiu cansaço.
E eu não sabia nem notei a tempo.

Cansado, buscou socorro num afeto de mulher.
E não fez por premeditação. Foi crise mesmo!
O que sei é que de repente me disse o que disse:

– Queria ser apóstolo, mas o corpo e o coração pediam uma esposa. E não tinha forças para superar aquele afeto!

Eu, que nunca passei por semelhante amor, não soube o que dizer.
Rezei junto, chorei junto e abstive-me de julgar.
Pedi tempo e disse tudo aquilo que ele já sabia.

E meu irmão padre casou-se no civil,
sem as bênçãos da Igreja,
sem permissão da Igreja,
sem a presença dos companheiros que
dividiram quase 30 anos de sonhos com ele e sem
o sacramento do matrimônio.

Foi castigado pela comunidade católica porque amou uma pessoa mais do que os outros.

E foram dizeres dele!
Na solidão que o martiriza,
ensina a tua Igreja dos padres que não se casam a lutar por um lugar no ministério para aqueles que se casaram.

E ensina-nos a não julgar tais companheiros.
Que em tua Igreja o celibato permaneça sinal do Reino
e não semáforo de farol vermelho!

Amém!

Cuida de mim, Pai!

37. Tua graça nunca vem de graça

Rm 6,1: *Então? Insistiremos no pecado para dar à graça uma chance de transbordar?...*

É isso, Pai!
A teologia dos homens eu conheço. É a tua que não entendo!
Disseram-me que tua graça é um dom gratuito.
Disseram-me que, quando nos dás, tu nos dás não por merecimento nosso, mas por mérito de teu Filho.
Disseram-me ainda que homem algum tem o direito ao que pede.
Se dás, é porque queres e não porque merecemos.

Agora descubro algo a mais.

Descubro que a tua graça é de graça, mas não é sem juros.
Cheguei a pensar que era possível pedir sem te dar algo em troca.
Que bastava pedir em nome de Jesus e que, sendo Pai como és, simplesmente não resistirias...
Mas agora vejo que até mesmo teu Jesus não foi sempre atendido. Pediu que, se possível, o cálice fosse afastado. E não foi...

Eu não entendia que quem pede abre conta no céu e precisa saldá-la.
Não há oração ou graça obtida que não traga consigo uma nota promissória.
Foi teu Filho quem o disse na parábola dos talentos.
Tu dás, mas queres cem por cento de volta. Tua graça é de graça, mas tem seu preço. É o paradoxo de tua teologia.
Tu dás, mas queres coerência.
Dás, mas queres compromisso.
Não fazes barganha, mas exiges que te mereçamos antes ou depois da graça concedida.

Esta manhã eu te peço que a graça a mim concedida não se torne estéril. Eu quero devolver, Senhor, com juros e correção.
E, para tanto, concede-me tua graça. Amém!

38. Guarda-me na pureza dos meninos

Ef 2,21: *Nele todo o edifício se ajusta e se ergue num templo santo no Senhor.*

Eu sei que não sou santo, Pai.
Eu ainda me surpreendo a julgar demais,
a querer demais,
a desejar demais,
a buscar o prazer,
a colocar-me em primeiro plano
e a usar coisas e pessoas como se fossem minhas.

E se eu não entender que nada é meu,
que ninguém é meu,
que não possuo pessoa alguma,
que corpo algum me pertence,
que prazer algum é meu e apenas meu;

se eu não entender que tudo é teu
e que todos os que cruzam meu caminho
são templos do teu Espírito Santo,
não saberei ser puro nem com eles, nem comigo!

Eu quero ver-te nos corpos,
nos olhos,
na mente
e no coração de cada irmão e irmã que me deste.
Quero ser santo, Pai.
E para que eu seja santo,
dá-me olhos de criança
pura que ama sem
se apossar!
Amém e aleluia, Pai!

39. Dá-me frutos cem por um

Mt 13,8: Outros por fim caíram em boa terra e produziram cem, sessenta e trinta grãos por um.

Que minha oração não seja estéril.
É o que te peço nesta manhã que apenas inicia.

Se entendo corretamente o que significa estar contigo,
entendo então que não se pode dialogarcom alguém abrangente como tu, sem sofrer a inquietação de repensar e reformular a história dos homens.

Que eu não reze apenas porque me sinto bem.
Que eu não me limite apenas a pedir por mim.
Que eu não me limite apenas a pedir pelos outros.

Que eu não me limite apenas a louvar e agradecer.
Que eu não pense que é pelo meu falar que chegarei a teus ouvidos, ouvidos que sei que não ouvem como os meus, porque perscrutam o íntimo de quem fala.

Que eu entenda que preciso agir para ser e ser mais para agir melhor.
Que eu entenda que, se não sonhar dias melhores e se não buscar dias melhores para meu povo, estarei rezando bonito, mas em vão!

Porque rezar sem mergulhar na história não é rezar, é recitar bonito mas ficticiamente!
Contigo, ou se revoluciona o mundo, ou não se dialoga!
O que te peço é isto.
Que eu me comprometa com meu povo.
Sem isso, jamais rezarei direito!

40. A graça que eu mais quero

1Pd 4,10: *Cada qual use o dom que recebeu, em favor dos outros.*

Eu quero a graça de corresponder a tua graça.
Quero a graça de saber que me educas para a vida.
Quero a graça de entender que colocas a
    tua força a minha disposição.

Sei que me chamas,
sei que me amas,
sei que esperas minha resposta.
E sei também que tens tuas condições.

O que não sei é responder.
Em parte porque não te entendo,
em parte porque tenho medo.

Persistes em teu propósito de ser minha
   força e eu persisto na teimosia de crer
   que posso crescer sem ti.
Persistes em teu plano e eu persisto em meu...

De todas as desgraças,
preserva-me, Senhor,
da desgraça
de desprezar
tua graça!
Amém.

VÔ, NÃO!

41. Aceitas um chocolate, Senhor?

Lc 18,16: *Deixem as crianças virem até mim. Não as impeçam, porque o Reino dos Céus é de gente semelhante a elas.*

Eu vi o gesto daquela mãe no parque!
Em meu íntimo, pensei: "Deus deve ser igual àquela mulher".
Se existes e se és pai, é daquela maneira que nos tratas.

A criança tinha o rosto e as mãos lambuzadas de chocolate. Em uma das mãos restava ainda um pedaço melento e sujo que ela juntara da grama. Pura e inocente, correu para os braços da mãe enquanto lhe oferecia seu insólito presente de filha.

Sem a menor repugnância,
a jovem mãe lambeu-lhe as mãos e o rosto,
deliciando-se com o presente sujo da filhinha.
Depois levou-a até a bica,
lavou-lhe as mãos e o rosto, e em seguida lavou-
-se também ela.

Fiquei pensando em meu relacionamento contigo.
Meus presentes também não são limpos,
nem também minhas mãos.

E eu queria ter uma prece limpa, Senhor,
mas é tão cheia de alienações
que, o mais das vezes, não passa de sujos pedaços
de chocolate!

Alguma coisa, porém, diz-me que tu aceitas.
És igual àquela mãe!
Abraças minha sujeira
e me devolves limpo
para que eu possa
correr de novo!

42. Cuidado comigo, Senhor!

1Cor 3,1: Não vos pude falar como a *pessoas espirituais, mas como pessoas carnais; criancinhas em Cristo!*

Cuida de mim, Senhor.
Cuida de mim.
Sou pequeno,
sou frágil e quebradiço,
sou limitado
e posso a qualquer momento me magoar.

Fizeste-me pequeno por fora
e, por dentro, capaz de crescer ao infinito.
Mas, por dentro e por fora,
eu sou um homem limitado,
frágil e quebradiço,
pequeno demais para a extensão a percorrer.

Por isso eu te suplico:
Cuida de mim, Senhor!
Cuida de mim.
Mesmo porque,

se não for tua mão a me guiar,
teu jeito de mestre a me educar
e teu toque de artista a me plasmar,
eu não resistirei!

Cuida de mim, ó Deus!
Cuida desse teu filho!

43. Permites uma pergunta?

At 1,11: *Por que estão olhando para o céu? Este mesmo Jesus que foi elevado dentre vocês voltará do jeito que o viram subir.*

Se voltasses agora, Jesus, em que tipo de igreja gostarias de ser reverenciado?

Se voltasses agora, em que tipo de casa te sentirias bem? Ao lado de que grupo social? Comerias na casa de que fariseu? Andarias com que ex-publicanos? Travarias amizade com que ex-prostitutas? Discutirias com que espécie de sacerdotes ou sumos sacerdotes? Ficarias quieto diante de que reis e governadores? Curarias a quem? A quem defenderias? Por que tipo de cristãos acabarias perseguido? ...

Se voltasses agora, que tipo de gente estaria denunciando tuas atividades?

E eu, de que lado me situaria? Assusta-me só o pensamento de não te reconhecer, quando de tua segunda vinda!

44. Que minha oração seja libertadora

Ap 2,8: *Conheço teu sofrimento e tua pobreza, mas és rico...*

Eu posso rezar apenas por mim.
E tu sabes que é o que mais faço, Deus.
Eu posso rezar apenas pelos parentes e conhecidos.
Mas o que poderia e deveria
era conduzir meus diálogos contigo,
na direção da história que tu queres que eu faça!

Eu ainda não sei rezar por meu povo pobre, Deus.
Ainda rezo apenas em palavras.
Ainda falo demais e vivo pouco com os pobres do Reino.
E quem só fala e não vive, não reza de verdade.

O que eu te peço nesta manhã,
o que desejo aprender no dia de hoje, Pai,
é rezar coerentemente – isto é:
mesmo tendo, viver como pobre,
e, se possível, não tendo!
Que eu saiba libertar-me das coisas
para libertar meu povo, apesar das coisas que
preciso ter em meu ministério.
Mas que eu aprenda o honesto limite.
Que em minha opção pelos pobres, eu seja,
em primeiro lugar,
pobre!
É o que te peço nesta manhã.
Amém!

45. Perplexidade

Fizeste comigo como faz o chacareiro com as árvores de frutos azedos: enxertaste em mim um pouco de teu Filho!
Agora há momentos em que não sei se sou eu ou se é Jesus quem fala.
E aí é que acontece a espada de dois gumes: E se na hora em que pensar que é Ele, for eu quem estiver falando? ...

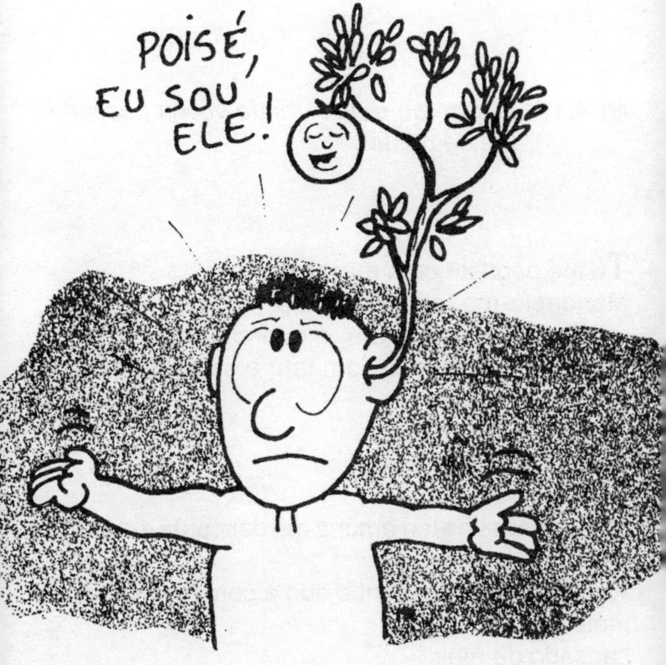
POISÉ, EU SOU ELE!

46. Nas malhas de tua rede

Mt 4,19: *Sigam-me e eu farei de vocês pescadores de gente!*

Tu me pegaste com maestria, Pai.
Mandaste-me teu filho Jesus, na busca de segurança agarrei-me a Ele, e quando percebi, estava sendo conduzido com tato e com jeito para a margem.

Pensei que tinha liberdade.

Mas era apenas teu amor a me dar corda e espaço.

A cada nova fuga, sentia que a corda ficava mais curta, e eu...
cansado de fugir.

Agora que me tens, só espero que não me jogues de volta à água: tenho lutado bastante para merecer que me guardes como troféu!
Palavra de peixe difícil...

47. Sou ousado e tenho medo

Mt 5,6: *Felizes os famintos de justiça. Serão saciados.*

Eu queria ser padre e não profeta.
Tu me fizeste profeta que eu não queria ser.

Comecei a reclamar...
E foi quando, envergonhado, descobri que, para se merecer o nome de ministro, é preciso passar pelo estágio de profeta.

Quem não sabe ser mensageiro, não chega jamais a pastor de ovelhas.
Em teu reino as coisas têm outra lógica.
Acabei me acostumando com o ofício de profeta.
Agora percebo que estou com medo de ser o ministro que sempre sonhei ser...

... E HAVEREMOS DE LUTAR PELA VERDADE!
CHI, ISSO NÃO VAI ACABAR BEM...
MR

48. Eu quero ser perfeito

Mt 5,48: *Sede perfeitos, assim como vosso Pai celeste é perfeito.*

Reconheço que sou limitado,
mas não farei por menos,
– eu quero ser perfeito, Pai.

Até onde me é possível, eu quero ser perfeito
como pedia teu filho,
"perfeitos como o Pai é perfeito" (Mt 5,48).
É assim que sonho ser.
– Para minha limitação,
eu quero ser perfeito.
Perfeito a meu modo,
como tu, Pai, és perfeito a teu modo.

Não quero honras,
não quero aplausos,
não quero elogios,
não quero condecorações.
Não quero ser tratado como herói.

Só quero que me aches bom,
perfeito a meu modo
quando chegar a minha hora da verdade.
E a minha hora da verdade é sempre!
Ajuda-me a ser perfeito, Pai!
Cuida de mim para que meu sonho se realize!

49. Quero ser igual à ponte

Igual à ponte que se estende sobre o rio, unindo os dois lados da vida, assim eu quero ser.

Igual à ponte que torna possível o diálogo entre as margens opostas, assim eu quero ser.

Igual à ponte que deixa que os homens passem sobre o rio sem molhar os pés no leito, assim eu quero ser.

Igual à ponte...
que dialoga...

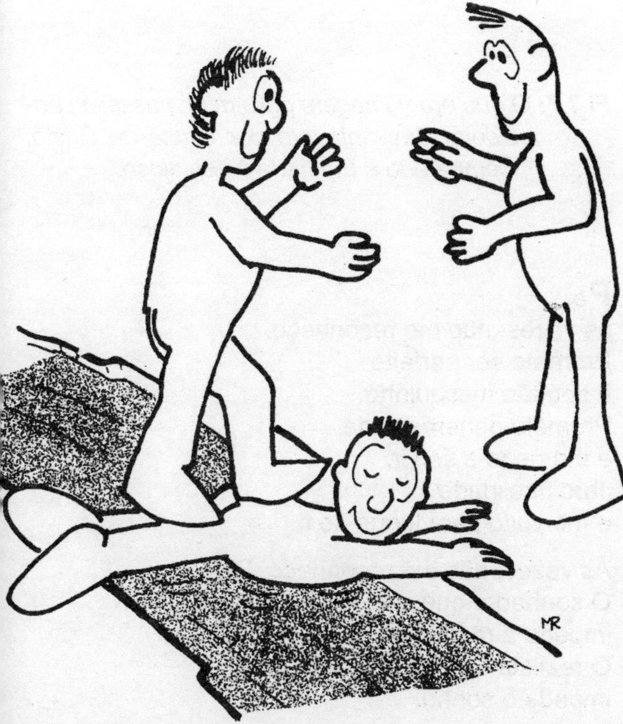
MR

50. Quero, mas não quero!

Fl 3,7: *O que era vantagem para mim, passei a considerar desvantagem por causa de Cristo. Comparado a Ele nada é vantajoso.*

Pai,
às vezes, não me reconheço.
Prometo ser perfeito
e sou tão mesquinho.
Prometo generosidade
e me nego a servir.
Juro fidelidade
e me volto para longe de ti.

Às vezes, não me reconheço, Pai.
O sonhador que sou
impede a realidade.
O realista que sou
impede o sonho.

Às vezes, não me reconheço, Pai.
Não sou e sou!
Sou e não sou!
E eu queria tanto, simplesmente ser...

51. Perdoa meu coração rebelde!

Pr 20,9: *"Quem pode afirmar: "Meu coração está puro, estou limpo de meu pecado?"*

Eu tenho um coração rebelde.
Teimosamente rebelde, Senhor.
Sei que me queres como Filho,
sei que me amas ao infinito,
sei que acreditas em mim.

Apesar de tudo isso, sabes o que faço.
Ajo como se não foras meu Pai.
Amo-te limitadamente demais.
Vivo como se não confiasses em mim.
Caminho como quem não crê.

Eu tenho um coração rebelde, Pai.
Teimosamente rebelde.
Agrada-me o que é proibido.

Incomoda-me o que é legal.
Fujo do permitido
e procuro meios de fazer o que não se deve.

O pecado me atrai bem mais do que a virtude.
Quero mudar, Senhor.
Quero ser mais dócil!
Perdoa meu coração rebelde!

52. Se eu soubesse perdoar de verdade

Hb 3,8: *Não endureçam os corações...*

És um pai que não gosta de mentiras. Se nos castigas por isso, não sei, mas sei que não suportas a mentira.
O conceito que faço de ti é o de um ser verdadeiro e pleno de ternura. Infinito no dar e no receber.

E está doendo em mim a mentira de que fui vítima. Disseram coisas que eu não disse e espalharam notícias de fatos que não aconteceram. Pelo menos, não comigo.

Primeiro, eu quis me explicar. Depois, veio a raiva e a vontade irreprimida de tirar satisfação com as pessoas que me diminuíram ou me tentaram derrubar.

Finalmente, decidi que não diria e não faria nada. Mas ficou a dor a me doer aqui dentro. Por que eu? Por que eu que não tive um pingo de malícia e só quis fazer o bem? Por que foram dizer exatamente aquelas coisas que não fiz e não faço? E logo contra mim?

Se eu soubesse perdoar, não estaria como estou! E o que te digo e te peço hoje é apenas isso:
– Tu que és verdade e ternura, ensina-me a esquecer e a perdoar!
Eu preciso.
Eu devo esquecer!
Eu devo amar!
Ensina-me a perdoar, porque, sem o perdão, não poderei chamar-me filho!

Amém!

53. Dá-me um coração de anjo num corpo que seja humano

Ef 4,30: Não entristeçam o Espírito Santo de Deus...

Eu precisava te fazer esta prece, Deus!
Aprender a viver com meu corpo de gente e minhas inclinações de gente, sem ser levado por ambos.
Quero não ter vergonha de sonhar com os ideais mais puros, porque preciso deles para chegar a ser um santo.

Mas não quero ser um santo às custas de ter medo da vida e de minha natureza.

Não quero e não devo ter vergonha de meu corpo, de meus sentimentos humanos e de minhas tendências. Eles são fatos da vida.
O que quero é compreendê-los, para conduzi-los, sem ser por eles conduzido.
O que quero é conhecer a força de meus instintos para saber enfrentá-los não como inimigos, mas como auxiliares na caminhada para ti.

Não permitas, pois, que eu viva me condenando e condenando os outros, como se tudo na natureza humana fosse sujo e pecaminoso.
Mas que eu também não caia no falso naturalismo de quem acha que tudo é válido e bonito.
Que eu saiba a diferença!
E para que eu saiba a diferença, dá-me um coração de anjo que seja humano.
Então serei puro como quero e como tu queres.

Amém!

54. Não permitas que eu me acostume!

2Pd 2,14: São insaciáveis *em seu desejo de pecar...*

Meu pecado está dentro de mim, Senhor!
Machuca-me diariamente.
Mesmo se me sinto livre, ele ainda me rói.
Em alguns é a vaidade,
em outros a ira,
em outros a cobiça,
em outros o sexo,
ainda em outros o que pesa é a inveja.
Em mim eu sei o que mais pesa.
E tu que me conheces, sabes o que me dói lá por dentro.
Não posso dizer que seja um santo, mas também
    não gosto de me admitir um pecador.

Eu quero ser bom, Senhor!
Mas nem sempre o consigo.
Como tantos a meu redor, travo uma luta comigo
  mesmo. E, às vezes, eu perco. Vaidade, raiva,
  avareza, luxúria, gula, inveja, maledicência.
  Qual a minha culpa mais teimosa?

Eu sei e tu sabes!
É por isso que te peço!
Liberta-me de mim!
Não permitas que eu peque novamente.
E se pecar, que seja por fraqueza: nunca por
malícia.

E não permitas que me acostume com meu pecado.
  Eu não quero ser um pecador!
  Com tua graça, eu não quero!...

55. Sem ódio, mas também sem medo

Sl 38,20: *Meus inimigos gratuitos são poderosos e, por falsas razões, muitos me odeiam!*

Eu quero mudança e eles não querem.
Eu digo que é evangelho e eles dizem que é marxismo.
Eu digo que é justiça e eles dizem que é subversão.
Eu digo que é fraternidade e eles dizem que é cizânia.
Eu digo que é profecia e eles dizem que é malícia.

Simplesmente não combinamos, Deus.

Eu quero em meu país um regime fraterno, no qual todos tenham direitos iguais e no qual a justiça atinja a todos, inclusive a mim, se culpado for.

Eu quero em meu país o suficiente para todos e, se sobras houver, que sejam aplicadas em benefício da comunidade.

Eles dizem que isto é utopia e que leva à violência, porque não é da natureza humana.

Eu digo que é do Reino dos Céus.

Eles dizem que é o começo da falta de liberdade e a supressão da livre iniciativa.

Eu digo que é possível justiça social com liberdade e garanto que sou tão antiditatorial quanto eles.

Eles dizem que sou um inocente útil. Que não conheço a malícia do inimigo da nação.

Alguns deles me odeiam porque falo a linguagem de Puebla.

E como não podem criticar Puebla, dizem que eu a deturpo.

Acabaram de proibir que se execute em rádio uma de minhas canções que pedem que nos dês o pão de cada dia, que não nos falte a liberdade nem a paz, que não domine sobre nós a tirania de quem tem tudo, mas não se satisfaz...

Sem ódio, porém, sem medo, eu acho que devo dizer o que Puebla disse.

56. Liberta-me de meus libertadores

Tt 2,8: *Use palavras certas. Assim confundirás o inimigo que não terá por onde atacá-lo.*

Liberta-me, Senhor, daqueles que sabem tudo a meu respeito.
Liberta-me dos que sabem muito pouco, mas pensam que já é o suficiente para julgar-me, sem me dar a chance de explicar o que desejei fazer.
Liberta-me dos que dizem que não precisam mais de argumentos, porque ouviram o que queriam ouvir, embora eu não tenha dito realmente o que eles ouviram.
Liberta-me dos que pensam que fariam as coisas melhor do que eu fiz e daqueles que sabem que não conseguiriam, e mesmo assim agem como se tivessem feito mais.

Liberta-me dos que não acham valor algum em meu suor e em minhas canseiras, julgando-as pura alienação e perda de tempo e energia.

Liberta-me dos que acham que encontraram a essência do evangelho e vivem murmurando em suas reuniões que os outros..., que os outros vivem apenas de superfície.

Liberta-me dos que, por não concordarem com alguma coisa, se apressam a concluir que é porque eu estou errado.

Liberta-me dos que sabem sempre acrescentar um mas... porém... pena que... depois de cada elogio que ouvem ao trabalho dos outros, com medo de que isso diminua o seu.

Liberta-me daqueles que descobriram um caminho de servir e agora pensam que só o deles se parece com o de Jesus Cristo.

Liberta-me dos que gostam de criticar, mas não admitem críticas.

Liberta-me dos que nunca se interessaram em saber o que eu digo, mas analisam com a maior naturalidade as coisas que pensam que eu teria dito.

Liberta-me dos que ouviram dez palavras a meu respeito ou leram outras tantas de minha pena e, com isso, pensam ter matéria suficiente para julgar as outras quinhentas mil que pronunciei na tentativa de falar do teu evangelho.

Liberta-me dos adultos que se esquecem que falo a jovens de 15 ou 20 anos e dos jovens que pensam que falo a adultos de noventa.

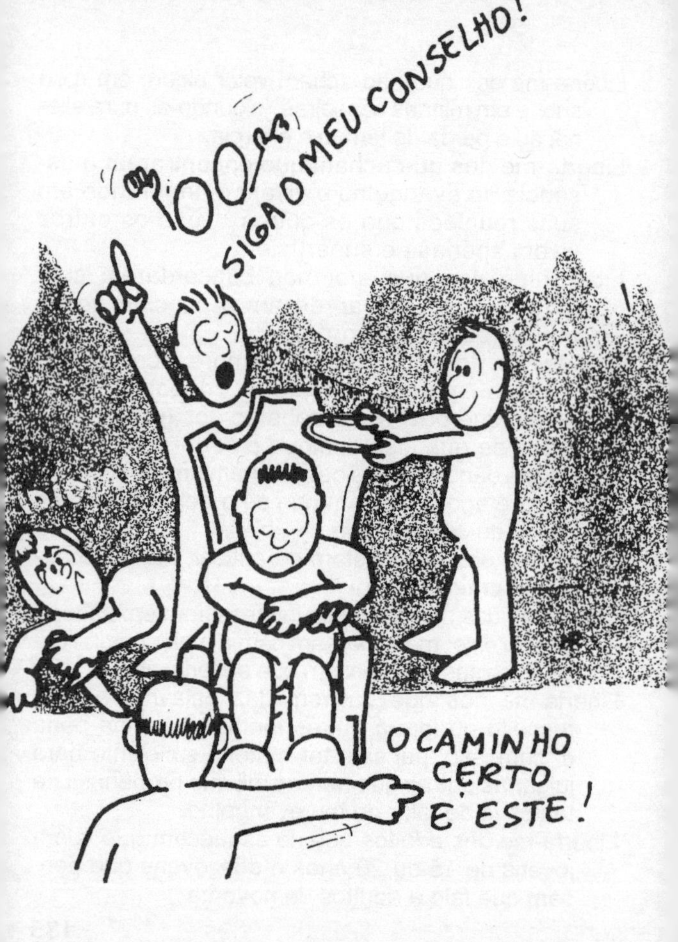
SIGA O MEU CONSELHO!
IDIOTA!
O CAMINHO CERTO É ESTE!

Liberta-me dos que me canonizam sem um processo, sem pesquisa e sem *advocatus diaboli*.

Liberta-me dos que me querem Deus e depois me jogam na cara que sou homem e ordinário como qualquer outro.

Liberta-me dos que necessitam de um ídolo e depois experimentam com martelos pesados seus pés para ver se são de barro.

Liberta-me dos que gostariam que eu falasse o que eles não conseguem ou não têm coragem de dizer.

Liberta-me, Senhor, de mim mesmo, para que eu nunca imagine que é possível falar de Deus sem conhecer um pouquinho de purgatório, inferno e céu, enquanto se busca realizar um sonho de criança...

Liberta-me, Senhor, de meus "libertadores"!... Ah, sim! Liberta-me deles! São os piores ditadores que conheço. Querem que eu seja o que eles imaginam: Não o que tu queres! Liberta-me deles, Senhor! E não te esqueças também de libertar-me de mim mesmo!...

57. Quero ser profeta e carismático...

Jo 1,21: Então perguntaram: Nesse caso, quem és? Elias?... E Ele disse: Sou a voz que clama no deserto...

Quero ser o teu profeta, Senhor,
mas ajuda-me a profetizar direito.
Quero viver renovando meu carisma, Senhor,
mas ajuda-me a ser carismático de verdade.
Tu me chamaste à profecia e me deste um carisma.
Deste-me bem mais do que um carisma.
E, à medida que penso neles, encho-me de paz.
Mas é uma paz inquieta que às vezes me amedronta.
É que sou fraco, Senhor!

Tenho medo de supervalorizar meu carisma ao ponto de não saber conviver em grau de igualdade com os que parecem menos carismáticos do que eu.

Tenho medo de falar demais de meus carismas.
Tenho medo de impor meu modo de ser profeta.

Tenho medo de estereotipar meu modo de rezar e impingi-lo aos demais.
Tenho medo de acabar acreditando que eu sou o certo e os demais "também" podem estar certos...
Tenho medo de me achar um privilegiado a quem Deus fala o que não diz a outros; ou um fiel que ouve melhor tua palavra do que o comum dos mortais.
Tenho medo de não ser humilde, a ponto de achar que minha missão é mais especial que a dos demais profetas.
O que eu te peço, Pai,
o que te peço com sinceridade profunda,
é que me ensines a não fingir que não sou profeta, mas também a não achar que sou um profeta especial.
O que te peço é que me dês a graça de nunca me esquecer de que existem outros profetas e outras profecias em tua Igreja.
E quanto mais eu vibrar com a profecia e o jeito de profetizar dos outros, tanto mais profeta serei.

Liberta-me, Senhor, do orgulho disfarçado dos que se sentem pequenos porque são especiais.

Liberta-me da vaidade escondida dos que se sentem chamados a renovar os outros, mas que não aceitam aprender com os outros.

Liberta-me, enfim, Senhor, de ensinar muito e ouvir pouco.

Quero ser profeta e carismático.

Mas, para isso, ensina-me a aprender com todos os demais profetas de meu tempo.

Amém.

NINGUÉM VAI A DEUS SEM DAR ATENÇÃO ÀS **MINHAS** PALAVRAS!

58. Ensina-me a ser livre, Senhor!

Ez 13,3: *Ai dos profetas que seguem suas fantasias sem ter tido visão alguma...*

Ser Igreja hoje é um processo doloroso, Senhor!
Sempre o foi, mas agora é a vez de doer em mim.
E deve ser por isso que dói mais.
Quero ser de todos e um grupo me pressiona a ser só deles. E, se não falar como eles, não sou Igreja!

Quero ser exame de consciência e me acusam de negativista.

Quero ser irmão e me acusam de conivente.
Quero ser unidade e me acusam de contemporização.

Quero a pureza de doutrina e me chamam de utópico.
Quero clareza nas posições e me acusam de irrealista.
Quero equilíbrio e dizem que vivo em cima do muro.
Quero espaço para todos e me acusam de irresponsável.
Quero respeito a todas as correntes e me chamam de ingênuo.
Quero ver valor em todos e me dizem que sou um covarde que nunca denuncia.

E quando denuncio dizem que não tenho esse direito porque não vivo como eles vivem.
Quero o alto e me chamam de alienado.
Quero o centro e me chamam de direita.
Quero outra vez o centro e me chamam de esquerda.
Às vezes, quero a esquerda e me dizem que faço média.
Às vezes, concordo com a direita e me acusam de burguês.
Não aceito posições radicais e me acusam de meio cristão.
Falo de teu exemplo e dizem que é porque usei o evangelho de maneira errada. Que não entendi o contexto.

Eles dizem que não, mas eu vejo minha Igreja dividida.

E quando digo isso, acusam-me de posar de moderado, e dizem que o moderado é um homem sem convicções e que a Igreja não precisa de moderadores.

Tu que foste crucificado entre dois ladrões, ensina-me a entender que esquerda ou direita é questão de perspectiva.

Eu quero ser teu!

Os grupos de facções que me desculpem. Nenhum deles tem o monopólio da Boa-Nova.

Estão certos e estão errados. Só que não o admitem!

Por isso, dá-me a paciência de amá-los e de, quer queiram, quer não, continuar elogiando e denunciando como a consciência me sugere, sem jamais agredir pessoas.

Não quero ser do número deles, sejam de que "ismos" forem.

Quero ser Igreja e ver o que há de bom em todos.

E quero o direito de estar junto aos dois lados, como irmão!

E assim mesmo conservar o senso crítico...

Sem, porém, ser crítico ou sectário demais!

Então, talvez eu seja Igreja!

Amém.

Confiaste demais em mim!

59

1Cor 10,3: Todos comeram o mesmo alimento espiritual... Contudo, Deus não se agradou da maior parte deles...

Confiaste demais em mim, Senhor.
Demais, Pai.
Deste-me teu Filho,
o sangue dele,
a ternura dele,
a grandeza dele para me elevar.
E, em troca, o que me pediste?

Apenas meu amor de filho.
E eu não te amo, Pai;
não te amo o suficiente.

Confiaste demais em mim, Senhor.
Confiaste tanto que chego a pensar que não me conheces.

E em troca o que te dou?
Minha limitação.
E não poucas vezes meu pecado e meu egoísmo.
O que te peço é tua graça
    para que, quando confiares em mim,
      eu saiba corresponder.
Confiaste demais em mim, Senhor.
Que eu jamais me esqueça disso!

60

Ef 4,7: *A cada um de nós foi dada a graça conforme a medida da doação de Cristo.*

Às vezes, eu me sinto como aquele menino, que precisa pular de uma margem a outra do regato da vida
e chora de medo de cair e ser levado pela correnteza.
Por minhas forças, eu vejo que jamais conseguiria, por mais afoito que fosse.
Aí, tu apareces, toma-me pela mão e me dás teu impulso.
Eu aterrizo no outro lado e, depois, saio pensando que fui eu quem fez aquela proeza.
Em resumo: Tua graça me dá as forças que eu não tenho

e, depois, eu penso que o mérito estava na coragem que, de repente, consegui demonstrar.
É o eterno descaso que a gente faz do infinito.
Vivemos removendo obstáculos, às custas de alavancas e catapultas e, depois, parabenizamo-nos como se tivéssemos feito aquilo por nossas próprias forças!

61

Gl 1,6: *Admiro-me que tão depressa vocês estão desertando de quem os chamou para Cristo e buscando um outro Evangelho!...*

Não foi quando me chamaste que nasceu minha vocação.

Foi quando me deste a graça de compreender que eu estava sendo chamado e de encontrar suficiente lucidez para dar minha resposta.

Não usas de truques nem de persuasões, mas costumas apertar o cerco de tal forma que ou nos rendemos, ou nos sentimos marginalizados. Vens com redes cheias de enormes buracos. Se não temos tamanho, dessa vez escapamos. Se temos tamanho, ainda é possível fugir, mas, depois, começa-se a sentir a nostalgia do que se poderia ter sido e não se foi...

62

1Ts 4,7: *Deus não nos chamou para a impureza, e sim para a santidade.*

Tu me envolveste, Senhor!
E me envolveste com tamanha lisura que nem sequer tive razão de reclamar.
Segura e lentamente foste apertando o cerco sem jamais fechá-lo sobre mim.
Como escorpião dentro do círculo de fogo, tive muitas vezes a tentação de me envenenar, para não ter de suportar tua luz.
Como peixe nas malhas de uma rede, reagi como sabia e como podia.
Mas vieste com suficiente abertura, para que eu não dissesse que não tinha como escapar.
E acabei caindo em tuas malhas e preso em teu círculo de fogo.

Deve ser porque no fundo, bem no fundo, eu tinha vontade de fazer parte de ti.

Agora, Senhor, permite-me que eu comece a te envolver o suficiente, para que me sinta responsável por tua imagem na terra que hoje me pertence.

63. Eu preciso!

1Ts 2,12: *Que cada um leve vida digna do Deus que chama a seu reino e a sua glória.*

Aprender com o rio que se torna mais útil à medida que se deixa represar e, mesmo represado, continua livre.

Aprender com o rio que, quando canalizado, concentra suas energias para destiná-las a um fim útil.

Aprender com o rio que, quando em estado de liberdade selvagem, é apenas selvagem e forte, mas controlado e canalizado, é forte e portador de vida e energia a milhares de quilômetros além de seu percurso.

Aprender com o rio que se mistura a outros em seu percurso para o mar.

Aprender com o rio que, quando impuro, se purifica penitente nas grandes paradas ou nas pedras de seu caminho.

Aprender com o rio que sabe dividir seu tempo entre o fragor da cascata, o murmúrio das correntes e o silêncio das planícies.

Eu preciso!...

64. Eu me rendo, Senhor!

Pr 3,12: *Javé corrige aquele a quem ama tal como faz o pai com o filho querido.*

Eu me sentia tão bem em minha fortaleza inexpugnável! Viesse quem viesse, eu tinha provisões e táticas para resistir a qualquer assalto.
Em minha vida ninguém mandaria. Meu futuro ninguém decidiria. Em mim ninguém haveria de pisar.
Armei de cercas, valadas e fios elétricos a fortaleza de meu eu. Estava a salvo de visitantes indesejáveis...

Assim pensava e assim agia, zeloso por minha liberdade.
Um dia tu vieste como quem quer tudo, mas não exige nada. Montaste acampamento ao redor de minha fortaleza e esperaste.
Quando percebi tuas intenções, comecei a gritar:

– Conheço teus truques. Nem vem que não tem! Aqui tu não entras. És daqueles que, quando a gente dá a mão, acabam tomando o braço inteiro...

Não disseste nada. Apenas apertaste o cerco e me sitiaste de todos os lados. Eu olhava para o leste, o oeste, o sul e o norte e lá estavam tuas tendas e teu sinal em cada uma delas.
Tu me sitiaste, Senhor! E me sitiaste tão bem que começo a sentir frio, sede, medo e fome.

E tu me dizes que tens cobertores, água, ternura e alimento. Mas a condição é que eu te deixe entrar em meu eu. À força não o farás. Tudo o que tenho a fazer é jogar as sete chaves da porta que tão zelosamente tranquei para que ninguém me roubasse o direito de ser quem sou e fazer o que quero.

O tempo está passando e eu já não sei mais o que dizer. Tens aquilo de que eu preciso e queres um pedaço de meu eu, que não te quero dar porque tenho medo de tuas exigências.

Já não estou mais seguro de nada. O que sei é que, se sair, tu me tocas; se não sair, dali não sairás, e eu corro o risco de morrer estupidamente defendendo uma liberdade que não está nem sequer ameaçada...

Chego de bandeira branca!
Dou-te minhas sete chaves!

Entra em meu eu, Senhor! Toma conta de minha liberdade! Comanda minha fortaleza! Só assim serei livre para alguma coisa, porque não adianta ser livre se não existe um para quê nessa liberdade...
Eu me rendo! Podes levantar o cerco! Perdi a guerra, mas tenho a sensação de que ganhaste tu e ganho eu.
Bom dia, Deus! Não quero mais minha liberdade.
Sem ti ela já estava ficando sem graça!... Agora, quem sabe, serei livre de verdade.
Amém, Senhor! Aleluia!

Índice

Eu ainda não sei rezar

1. Acho que não sei rezar — 6
2. O que foi que faltou em minha prece? — 8
3. Se for de tua vontade! — 10
4. Sou um homem limitado — 12
5. Sem mania de grandeza — 14
6. Dá-me nova dimensão, Senhor — 16
7. Fiquei chateado com meu Senhor — 18
8. Senhor, abençoa meus críticos — 20
9. Ensina-me a rezar de novo — 24
10. Meu pecado predileto... — 26
11. Ensina-me a rezar primeiro... — 28
12. Fiquei furioso, Senhor! — 30
13. Conduze-me ao pluralismo! — 34
14. Apontei meu dedo sujo contra meu irmão — 38
15. Eu disse que não tinha troco... — 40
16. Educa-me para a paz — 42
17. Eu ontem matei uma formiga — 44

Quero ver a tua face

18. A falta que tu me fazes! — 48
19. Mistério! — 50
20. Como te chamas, Senhor? — 52
21. Meu túnel tem saída... — 54
22. Eu gostaria de não te dizer nada — 56
23. Por que e como! — 58
24. Não me deixaste só — 60
25. Limitação — 62
26. Ignorância — 64
27. Quero estar a tua espera! — 66
28. No poema do universo! — 68
29. Feliz, porém, insatisfeito... — 70

30. Não deixes que eu me canse! — 72
31. De volta do Nordeste — 78
32. Miséria em cima de miséria — 80
33. Eu não entendo as leis da vida! — 84
34. — 88
35. Tenho medo do anticristo — 90
36. Meu irmão deixou o mistério — 92

Cuida de mim, Pai!

37. Tua graça nunca vem de graça — 96
38. Guarda-me na pureza dos meninos — 98
39. Dá-me frutos cem por um — 100
40. A graça que eu mais quero — 102
41. Aceitas um chocolate, Senhor? — 104
42. Cuidado comigo, Senhor! — 106
43. Permites uma pergunta? — 108
44. Que minha oração seja libertadora — 110
45. Perplexidade — 112
46. Nas malhas de tua rede — 114
47. Sou ousado e tenho medo — 116
48. Eu quero ser perfeito — 118
49. Quero ser igual à ponte — 120
50. Quero, mas não quero! — 122
51. Perdoa meu coração rebelde! — 124
52. Se eu soubesse perdoar de verdade — 126
53. Dá-me um coração de anjo num corpo que seja humano — 128
54. Não permitas que eu me acostume! — 130
55. Sem ódio, mas também sem medo — 132
56. Liberta-me de meus libertadores — 134
57. Quero ser profeta e carismático — 138
58. Ensina-me a ser livre, Senhor! — 142

Confiaste demais em mim!

59. — 146
60. — 148
61. — 150
62. — 152
63. Eu preciso! — 154
64. Eu me rendo, Senhor! — 157